D0658010

roman rouge

Dominique et Compagnie

Sous la direction de
Yvon Brochu

Marie-Danielle Croteau

Marie Labadie
Réglisse solaire

Illustrations
Marie Lafrance

Catalogage avant publication de la Bibliothèque nationale du Canada

Croteau, Marie-Danielle
Marie Labadie – Réglisse solaire
(Roman rouge)
Pour enfants de 6 ans et plus

ISBN 2-89512-385-3
I. Lafrance, Marie. II. Titre. III.
Collection : Croteau, Marie-Danielle
1953-. Série Marie Labadie

PS8555.R618R43 2004 jC843'.54 C2003-942169-4
PS9555.R618R43 2004

© Les éditions Héritage inc. 2004
Tous droits réservés
Dépôts légaux : 3e trimestre 2004
Bibliothèque nationale du Québec
Bibliothèque nationale du Canada
Bibliothèque nationale de France

ISBN 2-89512-385-3
Imprimé au Canada

10 9 8 7 6 5 4 3 2 1

Direction de la collection :
Yvon Brochu, R-D création enr.
Direction artistique et
graphisme : Primeau & Barey
Révision-correction :
Martine Latulippe

Dominique et compagnie
300, rue Arran
Saint-Lambert (Québec) J4R 1K5
Téléphone : (514) 875-0327
Télécopieur : (450) 672-5448
Courriel :
dominiqueetcie@editionsheritage.com
Site Internet :
www.dominiqueetcompagnie.com

Nous remercions le Conseil des Arts du Canada de l'aide accordée à notre programme de publication. Nous reconnaissons l'aide financière du gouvernement du Canada par l'entremise du Programme d'aide au développement de l'industrie de l'édition (PADIÉ) pour nos activités d'édition.

Nous reconnaissons l'aide financière du gouvernement du Québec par l'entremise du Programme de crédit d'impôt pour l'édition de livres – SODEC – et du Programme d'aide aux entreprises du livre et de l'édition spécialisée.

Chapitre 1

Une pie, un pis et puis tant pis !

C'est une classe de deuxième année, semblable à toute autre classe de deuxième année. Des pupitres. Des affiches sur les murs. Un grand tableau noir, un coin de lecture. Des enfants, et une enseignante que les élèves appellent Babette.

Mais dans cette classe, aujourd'hui, rien ne se passe comme d'habitude.

Élisabeth a les yeux rouges et le nez qui coule. Elle a mal à la tête. Elle tire un mouchoir de sa manche et renifle.

– Ce n'est pas un bon jour !

– Bonjour, répondent les enfants.

Ils ont la grippe, eux aussi. Ils comprennent tout de travers. « Pas idéal pour les mathématiques », pense Babette.

Elle essaie tout de même une petite addition :

– Six plus dix égale ?

– Gale ? répètent les enfants.

Et ils commencent à se gratter.

Découragée, Babette sort les crayons et les pinceaux de l'armoire.

– Tant pis, dit-elle. Nous allons dessiner.

Sophie trace une grande ligne et y perche un petit oiseau noir. En dessous, elle écrit : « Une pie ». Elle a fini. Elle range son feutre et croise les bras sur son pupitre. Elle s'endort là, la tête posée sur ses bras croisés.

Mathieu, lui, badigeonne sa feuille de vert. Ensuite il trempe son pinceau dans la gouache noire, sans le laver. La vache qu'il dessine dans son pré a une drôle de couleur. Sous son ventre, il ajoute un demi-cercle et trois petits bâtons. En dessous, il écrit : « Un pis ».

Il a fini. Il abandonne ses pots et va s'écrouler dans le coin lecture. Son livre n'est pas encore ouvert que, déjà, il dort !

Chapitre 2

Réglisse solaire

La classe ressemble maintenant à un terrain de camping. Leurs travaux achevés, les enfants se sont entassés autour de Mathieu. Ils reniflent, toussent ou marmonnent dans leur sommeil.

Babette elle-même se sent comme un vieux chiffon usé. Elle n'a qu'une envie : dormir ! Elle ne comprend pas ce qui arrive. Auraient-ils tous été piqués par la mouche tsé-tsé ? Difficile à imaginer, si loin de l'Afrique ! À moins que ce soit la Lune ?

L'enseignante se secoue. Elle ne va tout de même pas tomber endormie elle aussi ! Elle consulte son agenda et s'écrie :

– Eurêka ! Ce n'est pas la Lune ! C'est le Soleil !

Elle frappe dans ses mains.

– Debout, mes petits choux !

Les enfants n'ont pas du tout envie de se lever. Les uns tirent sur le chandail des autres pour se couvrir. Certains se font des coussins avec les fesses de leurs voisins.

Tous, en tout cas, restent là sans bouger. Sauf Nathan.

Il ouvre un œil et arrache sa dent qui branle. Il la glisse sous la tête de Martin qu'il prend pour un oreiller. Nathan se rendort aussitôt, certain que la fée des dents va passer.

–Réveillez-vous ! insiste Babette. Nous allons assister à une éclipse solaire !

Les enfants s'activent enfin. Élisabeth leur distribue de grosses lunettes noires et les fait sortir dehors.

Jérémie s'inquiète :

–Où on va ?

–Manger de la réglisse solaire ! lui répond Nathalie.

Son compagnon est loin d'être rassuré. Il bredouille :

–Qu'est-ce que c'est ?

–Je ne sais pas, déclare Nathalie, mais ça sonne bon !

Chapitre 3

Fleur de cactus

Une petite fille traverse la cour de récréation. Les élèves sont occupés à regarder la Lune qui cache le Soleil. Ils ne la voient pas passer. Elle se dirige d'un pas sûr vers la porte de la classe, l'ouvre et entre. Elle aperçoit un cactus près de la fenêtre et s'en approche.

Le cactus n'a pas été arrosé depuis des semaines. Il meurt de soif. Il pense très fort : « Donne-moi à boire, s'il te plaît. »

Alors il se passe une chose extra-ordinaire. La petite fille va remplir un grand pichet d'eau et revient s'occuper de lui. Elle arrose sa terre dure et sèche. Elle vaporise ses tiges. Elle retire ses épines mortes. Elle époussette son pot et lui parle gentiment.

Le cactus est si ému qu'il fleurit. C'est sa façon de dire merci. Marie sourit et murmure :

– Tout le plaisir est pour moi !

Le cactus est émerveillé. Cette petite fille le comprend vraiment !

Au même instant, la porte s'ouvre et les enfants se bousculent dans la classe. Marie fait un clin d'œil au cactus. Elle met un doigt sur sa bouche et souffle :

– Chut ! C'est un secret !

Chapitre 4

Comme des petits poissons

Prise dans le tourbillon, Babette n'a pas vu Marie. Ce qu'elle aperçoit en premier, c'est le cactus.

– Regardez, les amis ! Notre cactus a fleuri !

Puis elle remarque Marie. Tiens ! Une nouvelle élève dans sa classe et personne ne l'a prévenue ? Étrange…

– Bonjour, dit-elle. Qui es-tu ?

– Je m'appelle Marie Labadie. Je viens d'arriver dans le quartier.

Élisabeth la trouve jolie, avec
sa salopette bleue, ses tresses
brunes et ses grands yeux verts.
Jolie et très polie. Elle lui présente
les enfants et lui souhaite la bien-
venue. Puis elle ajoute :

— C'est une mauvaise journée
aujourd'hui, tu sais. Nous avons
tous la grippe.

Elle consulte sa montre. Il est un
peu tard, alors elle décide :

–Je vais vous raconter une histoi… aaa… aaa…

Babette commence à éternuer. Désespérée, elle soupire :

–On dirait que ça empire…

Marie se lève et dit :

–Je peux m'en charger, si tu veux.

Se charger de quoi ? L'enseignante ne comprend pas.

La fillette fouille dans son sac à dos. Elle en sort une pochette de coton et l'ouvre. À l'intérieur, il y a des feuilles d'eucalyptus séchées. Marie explique :

– C'est bon contre la congestion.

Élisabeth est si mal en point qu'elle n'a même pas la force de protester. C'est comme si quelqu'un lui avait volé toute son énergie. Elle s'assoit dans sa berceuse et laisse faire Marie.

La petite fille se dirige vers le fond de la classe, là où se trouve la cuisinette de Babette. Pendant que l'eau chauffe, elle grimpe sur un tabouret. Elle attrape une grande tasse et y dépose les feuilles d'eucalyptus.

Les élèves l'observent en silence, la bouche grande ouverte.

« On croirait des petits poissons », pense Élisabeth. Elle n'a jamais vu sa classe aussi paisible. Elle sait qu'elle devrait intervenir. Si la directrice arrivait à cet instant, elle se ferait réprimander. Mais c'est comme si elle était ensorcelée par Marie. Elle ne dit rien. Elle attend. Elle est bien.

Marie s'affaire. Elle verse l'eau bouillante sur les feuilles séchées. Après quelques minutes, elle apporte cette tisane à Babette et l'avertit :

– Il ne faut pas la boire ! Il faut la respirer !

Élisabeth la dévisage, de plus en plus intriguée. Une petite fille qui arrive en pleine éclipse solaire. Qui fait fleurir des cactus. Qui calme les gens et qui joue au médecin. Mais d'où sort-elle donc, cette Marie Labadie ?

Au moment même où elle se pose cette question, Martin pousse un cri.

– Au secours !

En se grattant la tête, il a fait tomber la dent de Nathan, qui était restée coincée dans ses cheveux.

–J'ai des dents dans mon cerveau !

Il est tout blanc et personne ne peut le rassurer. Babette ne sait pas ce qui s'est passé à la sieste. Nathan, lui, ne se souvient pas de ce qu'il a fait. Il était trop endormi.

Alors Marie enlève son soulier et s'approche de Martin. Pour le consoler, elle lui montre son pied.

— Regarde ! Moi, j'ai six orteils et ça ne m'empêche pas de marcher. Si tu as des dents au cerveau, ça ne t'empêchera pas de penser.

— Oui mais moi, je devrai aller chez le dentiste deux fois plus souvent que toi.

– Pas si tu manges moins de chocolat !

Martin rit et Babette sourit. Le nez dans les vapeurs d'eucalyptus, elle dit :

– Ça fait du bien ! Je me sens beaucoup mieux ! Je crois que, maintenant, je vais pouvoir vous raconter une histoire.

Elle s'arrête, réfléchit une seconde et reprend :

– À moins que ce soit Marie ?

– Oui ! Oui ! crient les enfants.

Ils aiment bien Marie. Les garçons la trouvent jolie et les filles, courageuse. Jamais elles n'auraient montré leur pied à Martin s'il avait été comme le sien.

Marie s'installe avec les autres et demande :

– Quelle histoire ?

L'air espiègle, Babette suggère :
– L'histoire de Marie Labadie !
Elle espère qu'ainsi, elle découvrira qui est sa nouvelle élève.
À sa grande surprise, Marie répond :
– La vraie ou la fausse ?
Babette écarquille les yeux.
– Quoi ! Il y en a deux ?
Et Marie s'esclaffe :
– Il y en a plein !

Chapitre 5

Les ailes brûlées

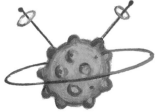

Marie fouille de nouveau dans son sac à dos. Cette fois, elle en sort deux grandes broches qu'elle glisse dans ses tresses. Puis elle les dresse sur sa tête.

Munie de ces deux antennes, elle commence :

– Il était une fois une petite fille qui habitait quelque part dans le système solaire.

Sophie lève la main.

– Sur une autre planète ?

Les autres protestent :

–Chut ! Il ne faut pas interrompre ! Hein, Babette ?

Élisabeth approuve, un peu à contrecœur. Elle aurait aimé savoir, elle aussi, ce que voulait dire Marie. Viendrait-elle d'une autre planète ?

–Cette petite fille, reprend Marie, était née avec deux antennes et des ailes. Comme un papillon. Alors bien entendu, elle n'avait qu'une idée en tête : voler !

Les enfants s'émerveillent :

– Voler ! Quelle chance !

– Eh oui, elle volait. Mais elle conduisait très mal. Elle se cognait partout. On aurait dit l'un de ces gros bourdons, la nuit, autour d'une bougie.

Sans même lever la main, Gaston lance :

– Normal ! Ce n'est pas un garçon. Mon père dit que…

– Normal, en effet, le coupe Marie. Quand on apprend à marcher, on tombe. Quand on apprend à voler aussi. Mais elle a appris.

Hugo ouvre toutes grandes ses deux oreilles. Lui, il essaie toujours de grimper jusqu'au ciel avec sa balançoire. Il demande :

– Elle volait haut ?

– Très haut ! Et c'est justement là le problème. Elle n'écoutait pas son papa quand il lui disait : « Fais attention, Marie ! Tu vas te brûler les ailes si tu t'approches trop du soleil ! »

Les enfants sentent qu'une chose grave est sur le point d'arriver. Ils arrêtent de respirer.

– Un jour, elle s'est laissée emporter par le vent. Elle montait et montait et montait, portée par un courant d'air chaud. Très chaud.

Trop chaud ! Quand elle s'en est aperçu, il était trop tard. Ses ailes étaient en train de fondre !

Les petits sont désolés. Ils s'écrient :

– Elle est tombée !

Mais Marie les rassure aussitôt.

– Pas jusqu'au sol, heureusement ! Elle a atterri comme un oiseau, au sommet d'un grand eucalyptus très feuillu.

– Comment elle a fait pour des-
cendre ? Elle a eu peur ? Son papa
était fâché ? Et sa maman, où elle
était ?

Les enfants parlent tous en même
temps. Babette pose sa tasse et
frappe dans ses mains.

– Allons, allons, les amis ! Laissez
parler Marie !

La petite fille poursuit :

– Les parents de Marie étaient
occupés dans le jardin. Ils ne l'ont
pas vue s'envoler. Et ils ne l'ont
pas entendue les appeler, parce

que l'arbre était trop haut. Elle a
dû se sortir de là toute seule. Elle a
sauté de branche en branche, en
se servant de ses bras, de ses
jambes et de ses antennes.

– De ses antennes ? s'étonne
Marlène.

– Les singes utilisent leur queue,
fait Marie en haussant les épaules.
Elle a utilisé ses antennes. Bien
entendu, elle a arraché des tas

de feuilles en descendant. En arrivant au sol, elle en avait sur la tête. Sur ses vêtements. Et plein son sac à dos !

Babette pouffe de rire. Vraiment, cette Marie, elle ne manque pas d'imagination !

– Elle n'était pas blessée ? demande Daphné, qui aimerait devenir ambulancière.

– Un peu, oui. Au pied, précise Marie. Pour être plus légère, elle

n'avait pas mis ses souliers. Et c'est peut-être à cause de ça, justement, qu'elle est montée si haut.

Hugo retient l'information. La prochaine fois, il ira se balancer pieds nus.

– Elle s'est coupée entre deux orteils. Et là, plus tard...

Marie se tait et inspire profondément. Les enfants écarquillent les yeux.

Assurée de son effet, Marie reprend :

– Il lui est poussé un sixième doigt de pied !

Babette applaudit :

– Bravo, Marie !

Et elle ajoute :

– Mais dis-moi, où vit-elle, Marie Labadie ?

Marie la fixe posément, avec ses grands yeux verts, et répond :

– Elle vit dans sa tête.

Puis elle se lève et ramasse son sac. La cloche vient de sonner.

Tous les enfants sont partis. Certains avec leurs parents, d'autres en autobus. Dans la cour, il ne reste plus que Marie Labadie. Elle joue à la marelle et n'a pas l'air inquiet du tout. Babette, elle, commence à se faire du souci. Et si personne ne venait la chercher ?

Au même instant, on entend un bruit sourd au loin. Marie laisse tomber son caillou et s'écrie :

– Voilà mon vaisseau spatial !

Une grosse moto s'avance dans le stationnement désert. Celui qui la conduit est habillé de cuir noir et porte un casque qui lui cache le visage. Comme un chevalier du Moyen Âge. Marie court vers lui, rayonnante de bonheur. Il se penche, la prend dans ses bras, la soulève et l'assoit derrière lui.

Le chevalier relève sa visière et tend la main à Babette.

– Désolé, j'ai fait une crevaison.

Babette est surprise. Il est tellement jeune !

– Vous êtes le père de Marie ?

Et Marie répond à sa place :

– C'est mon professeur de magie.

Elle ouvre la bouche pour ajouter quelque chose. Mais le garçon lui glisse un casque sur la tête et démarre. Élisabeth les regarde

s'éloigner. Elle se demande ce que Marie a voulu lui dire. Quand la moto a disparu, elle rentre dans sa classe, rassemble ses affaires et s'apprête à partir.

Avant de sortir, Babette regarde le cactus et murmure :

–Je parie que tu le connais, toi, le secret de Marie Labadie.

Puis elle éteint. Elle n'a pas vu le cactus sourire.

Dans la même collection

Achevé d'imprimer en août 2004
sur les presses de Imprimerie L'Empreinte inc.
à Ville Saint-Laurent (Québec)